Aprende a dibujar
Flores

CHARMIAN EDGERTON

Grupo Editorial Tomo, S.A. de C.V.
Nicolás San Juan 1043
03100 México, D.F.

1ª. edición, mayo 2006.

© HarperCollins Publishers 1997
Charmian Edgerton
First Published in 1997 by
Collins, an imprint of
HarperCollins Publishers
77-85 Fulham Palace Road
Hammersmith
London W6 8JB
Collins is a registered trademark of
HarperCollins Publishers Limited

© 2006, Grupo Editorial Tomo, S.A. de C.V.
Nicolás San Juan 1043, Col. Del Valle
03100 México, D.F.
Tels. 5575-6615, 5575-8701 y 5575-0186
Fax. 5575-6695
http://www.grupotomo.com.mx
ISBN: 970-775-174-6
Miembro de la Cámara Nacional
de la Industria Editorial No 2961

Traducción: Ivonne Saíd Marínez
Diseño de portada: Trilce Romero y Emigdio Guevara
Supervisor de producción: Leonardo Figueroa

Impreso en México - Printed in Mexico.

Contenido

Introducción

A través de los siglos, los artistas han elegido a las flores para inspirarse, con la intención de capturar la simple perfección de una sola flor o de un elaborado ramo de exóticas flores. ¿Alguna vez has intentado dibujarlas? Si has decidido leer este libro, tomar lápiz y papel y tentativamente tratar de dibujar, por ejemplo, un florero con flores, estarás siguiendo una larga tradición de artistas, tanto aficionados como profesionales.

Las flores y las plantas ofrecen medios de expresión ilimitados al artista. Observar el periodo de crecimiento de una flor te dará infinitas opciones para dibujar desde un pequeño botón hasta la flor en madurez. Excepto en los meses de invierno, es fácil conseguir flores durante todo el año. Te inspirarán para dibujar o hacer bocetos de su efímera belleza, en su hábitat natural, concentradas en el balcón de una casa de campo, acomodadas en un florero sobre la mesa de la cocina o en un invernadero.

En este libro te guiaré para que veas las flores desde muchos puntos de vista y no sólo observes floraciones solitarias, sino que también las dibujes en su propio ambiente y como sujetos en una naturaleza muerta. Conforme avances de capítulo, conocerás los diferentes materiales y superficies de dibujo que puedes utilizar, y cómo combinarlos para obtener mejores resultados; la forma subyacente de las flores y cómo expresarla y enfatizarla con luz y sombra; y la variedad de texturas y patrones que tienen las plantas y las flores.

También, espero, que aprendas a darle un buen uso al cuaderno de dibujo llevándolo contigo cuando vayas a dar un paseo por el campo, de vacaciones o en cualquier ocasión que salgas de casa. El cuaderno de dibujo funciona como un "banco de memoria visual" de todas esas flores y plantas que cautivaron tu mirada, aunque sean grupos de flores silvestres en una pradera o geranios desbordándose de un florero.

Sin embargo, debes tomar en cuenta este consejo,
cuando elijas a tu sujeto que no sean flores
silvestres. Algunas de ellas son especies protegidas
y se deben dejar crecer en el lugar donde están.
Confórmate con disfrutar de su belleza
en su ambiente natural.

No permitas que tus primeros intentos
te desanimen, si te gusta tu sujeto y practicas
tus habilidades de dibujante, pronto quedarás
satisfecho con los resultados.

¡Felices dibujos!

Material y equipo

Existe una variedad muy amplia de estupendos materiales de dibujo que pueden resultar apabullantes para los principiantes. Te sugiero que en tu primera selección elijas materiales sencillos. Adquiere los mejores y añádelos a tu colección conforme crezca tu confianza.

Lápices

Las flores y las plantas se pueden dibujar perfecto con diversas técnicas, pero te aconsejo que empieces con el humilde lápiz. Los lápices son los instrumentos de dibujo más versátiles y producen una extraordinaria variedad de trazos. Van desde los duros 9H, pasando por los medianos HB, hasta los suaves 9B.

Las minas de los lapiceros y los portaminas son suaves o duras, y estos instrumentos resultan muy útiles para hacer bocetos; además, no es necesario sacarles punta a cada rato.

Un lápiz seco de color oscuro soluble al agua en papel de dibujo es una combinación excelente para hacer bocetos de los satinados pétalos de las azucenas (arriba).

El dibujo de esta primavera (abajo) se hizo con una mezcla de lápices de grafito 9B y 4B en papel de dibujo rugoso.

No olvides que siempre debes traer contigo una navaja o un sacapuntas, pues los lápices muy suaves se desgastan rápido. Explora el potencial de todos los lápices que quieras y los efectos que crean. No te dé miedo manchar o borrar ligeramente algunas áreas; mezcla lápices suaves con duros y humedece aquellos solubles al agua.

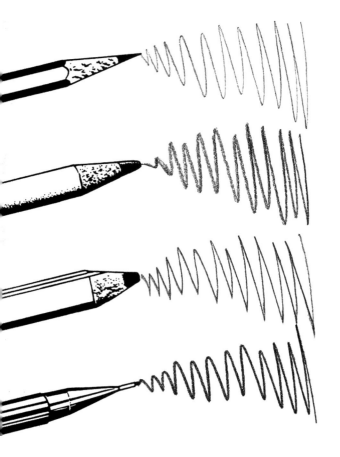

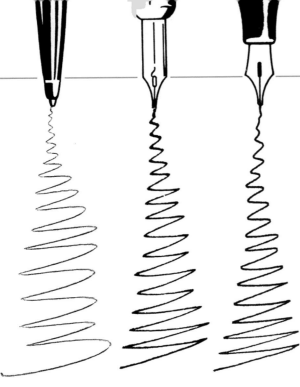

También es muy agradable trabajar con **plumillas** y vienen en un rango interesante, desde las de punto fino hasta las de punto cuadrado. Para hacer el tallo de la flor utiliza una plumilla de punto cuadrado y la de punto más fino úsala para marcar los detalles.

Se encuentran cartuchos de colores para las **plumas fuente**, que son estupendas para hacer bocetos porque producen líneas continuas en tonos sepias, negros y azules.

Los **bolígrafos** son un tipo de pluma que yo evitaría. Aunque se deslizan con facilidad sobre el papel, tienden a chorrearse, se corren de manera desagradable y en general son muy sucios.

Plumas

En el mercado existe una gran variedad de plumas que producen un amplio rango de efectos.

Hay una enorme selección de **rotuladores** de diferentes grosores y colores. Haz experimentos combinando rotuladores de punta fina y de punta ancha; por ejemplo, éstos son muy buenos para definir los pétalos de una margarita, mientras que los primeros se usan para marcar las venitas de los pétalos.

Las **plumas estilográficas** son invaluables si quieres darle una imagen más botánica al dibujo de la flor. Hay diferentes grosores de puntos, entre más fina es la línea que producen más bajo es el número. Deben lavarse después de usarse, pues los puntos finos se tapan con facilidad.

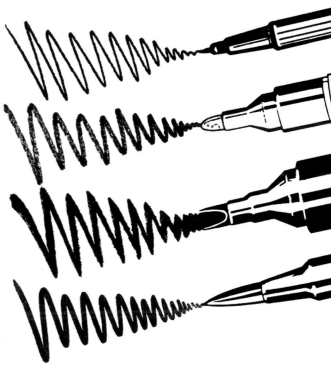

Es la misma primavera que la de la página opuesta, sólo que aquí las líneas precisas y nítidas del estilógrafo crean una apariencia muy diferente.

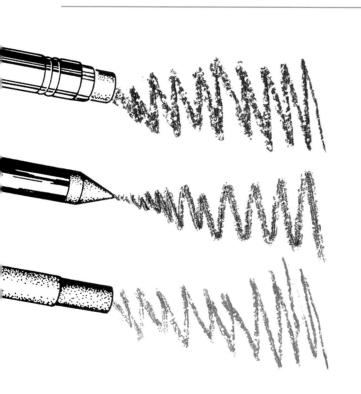

Pasteles y lápices de colores

Estos materiales son una alternativa fascinante para hacer más precisa la línea de las plumas y los lápices.

Los **pasteles** producen una línea fuerte, que se desmorona; funcionan mejor en papel rugoso o texturizado. Para empezar, sugiero que compres una caja pequeña o unas cuantas barras sueltas. Tal vez quieras probar los lápices de pastel, son mucho más duros y se les saca punta con una navaja.

La línea polvorosa del pastel en gis puede usarse en papel verjurado y se difumina con el dedo limpio. Es ideal para trabajos a gran escala; para detalles a menor escala, los gises se rompen en trocitos, y también se utiliza la punta o los costados.

Las barras **conté** producen una línea nítida distintiva y es fácil mezclarlas.

Los **lápices de cera** y los **pasteles al óleo** son más grasosos y es más difícil borrar los errores que se cometen. Vienen en una impresionante variedad de colores, pero deben manejarse con cuidado para evitar recargar el trabajo.

La fuerza de una flor puede capturarse con unos cuantos trazos fuertes en pastel.

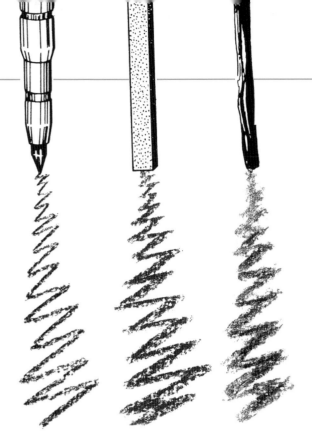

La **barra de grafito** es el material favorito de muchos artistas. Encuentras estos pedazos de lápiz plomo con diferente suavidad. Se usan con la punta normal para dibujar gestos; o afilados para trabajos de más detalle.

Se usó la punta y el costado de una barra de grafito 9B para definir la forma de los pétalos de esta rosa; mientras que con la punta se dibujaron las hojas.

Carboncillo y grafito

Ambos son técnicas versátiles. Para que los dibujos de las flores se vean más fuertes, elige el carboncillo. Éste es uno de los instrumentos para dibujo más antiguos y tradicionales.

Las **barras de carboncillo** te permiten un estilo de dibujo ágil y libre; son en especial útiles para hacer bocetos preliminares y se usan junto con el pastel al inicio de un dibujo al pastel. Se pueden utilizar desde todos sus ángulos y producen diversos efectos. Aunque no es un material delicado, puede sacársele punta al grado de que parezca lija fina. Si aplicas presión en la punta, obtendrás dibujos negros aterciopelados, mientras que si usas los trozos rotos de lado, los resultados serán preciosos tonos de sombras grises. No descanses la mano distraídamente sobre los dibujos, pues el carboncillo se corre con gran facilidad. Cuando termines, rocía tus trabajos con laca para el cabello o con fijador.

El **carboncillo comprimido** es otra buena alternativa. Lo encuentras en lápiz y barra y su uso es más limpio. Los dibujos finales por lo general son de tono más oscuro. Experimenta utilizando los dos carboncillos juntos.

Consejo del artista

Para conservar las manos y los colores limpios, siempre ten a la mano una caja de pañuelos faciales para que te retires los residuos cuando uses gises pasteles, carboncillo y conté.

Pinceles y aguada

En el mercado existe una amplia variedad de pinceles. Como difieren mucho en tamaño, forma y calidad, al principiante le cuesta trabajo elegir los adecuados. Adquiere el pincel de la mejor calidad que tu bolsillo te permita y cuando menos ten uno de pelo de marta en tu colección. Te durará años y si lo cuidas no perderá su forma. También incluye algunos de fibras sintéticas, en especial si vas a usar tinta resistente al agua y pintura acrílica.

Compra una pequeña selección de pinceles de varias formas; sugiero uno redondo del No. 4, para hacer aguadas generosas; uno en punta del No. 1 y uno del No. 2, para líneas finas; compra también y uno cuadrado del No. 3, que es invaluable para áreas planas y restringidas. Todos los pinceles deben lavarse muy bien después de usarse, sobre todo luego de utilizar tinta a prueba de agua o pintura acrílica, que al secarse se endurecen.

3

5

4

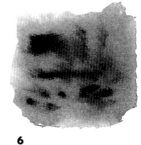

6

3 Para obtener una capa uniforme de acuarela fuerte, añade aguadas más oscuras a una clara aún mojada.

5 Para un efecto suave, difuminado, aplica la acuarela en un papel ligeramente humedecido.

4 Para evitar que los colores se "corran", permite que la primera capa se seque antes de añadir la siguiente.

6 La tinta o la acuarela concentrada en papel húmedo se esparcirá formando remolinos y manchas.

1

2

1 Estas marcas con pincel se hicieron (de izquierda a derecha) con uno pequeño en punta; uno plano; uno largo en punta.

2 El tono de la acuarela se reduce poco a poco añadiendo agua, como lo muestran estos trazos que se hicieron con diferentes diluciones.

Tinta negra, agua, pluma y pincel pueden combinarse para producir los tradicionales dibujos negros de líneas con agua. Usa tinta resistente al agua para que las líneas no se disuelvan y tinta india soluble o acuarela para la aguada.

No dejes de experimentar. Las tintas vienen en una brillante selección de colores, se mezclan con facilidad y se ven muy bien pintadas sobre tinta negra seca.

Las **acuarelas** se venden en pequeños bloques o cubos, tubos, o en forma de líquido concentrado. Según la cantidad de agua empleada, los colores pueden ser tan fuertes o claros como quieras. La acuarela se mezcla perfecto con otras técnicas, y las áreas de acuarela seca se avivan con trazos de gis pastel, conté y pastel al óleo.

Grandes pinceladas de tinta india diluida en papel para acuarela humedecido dan a este girasol cierta espontaneidad.

Consejo del artista

Usa un difusor de espray para "salpicar" con tinta o acuarela un papel seco o húmedo y obtendrás interesantes efectos de textura. Ten mucho cuidado de no aspirarla ni tragártela.

El **pastel al óleo** produce dibujos con consistencia de cera. La acuarela o la tinta con base de agua se escurrirá y no se adherirá al grasoso pastel, y el dibujo subyacente no se cubrirá.

El **gouache**, igual que la acuarela, es una pintura con base de agua, pero si se aplica una capa gruesa, es densa y opaca. Es muy útil para borrar errores y cubre fácilmente líneas en lápiz y pluma.

Aunque la **pintura acrílica** se parece mucho al óleo, tiene base de agua. Se seca rápido y es excelente para crear capas translúcidas de color. Muchas técnicas se combinan con los acrílicos para obtener diferentes efectos. Te sugiero que

uses pasta consistente para darle mejor apariencia a los pétalos y los estambres de la flor.

Cuando trabajes con pinturas y tintas, siempre ten a la mano una jarra con agua y cuando menos dos recipientes para vaciarla. Cámbiala con frecuencia para que no se ensucien los colores. Platos y tazas viejas son ideales para mezclar tintas y colocar colores individuales.

Este manojo de lavanda provenzal se pintó con un pincel de pelo de marta del No. I en papel para acuarela seco y pintura concentrada con un poco de agua, con una técnica que se llama "cepillado en seco".

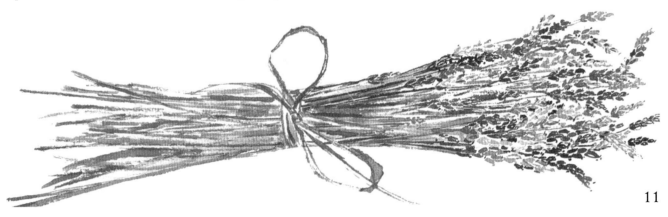

El papel periódico es muy barato, por lo que resulta una buena opción para practicar y para hacer bocetos.

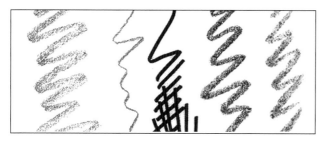

El papel calca (albanene) es semitransparente, para que lo coloques sobre las imágenes y las calques.

El papel de carta, por lo general se vende en un tamaño, es de superficie dura y lisa por lo que funciona bien para pluma.

El papel de dibujo tiene una superficie ligeramente texturizada y es una de las superficies más versátiles.

Superficies

La textura del papel determinará el carácter del dibujo. No hay reglas estrictas sobre qué técnica usar en qué superficie, pero algunas combinan mejor que otras. Por ejemplo, los gises pasteles y las barras de conté se aplican mejor en papel rugoso, texturizado, mientras que las plumas estilográficas funcionan bien en superficies lisas. Experimenta con papel de colores; es emocionante dibujar con gis blanco en una hoja oscura, y el conté marrón luce muy bien en un fondo en tono crema.

El **papel para acuarela** puede ser hecho a mano o en máquina y lo encuentras con tres texturas: *prensado en caliente, no prensado en caliente* y *rugoso*. El papel para acuarela no se dobla cuando se humedece y estira.

El **papel de dibujo** se utiliza con todas las técnicas, incluyendo finas aplicaciones de pastel. Se adquiere en rollo, hojas y cuadernos.

Esta campanilla de invierno se dibujó con un rotulador de punto fino en una hoja de papel para dibujo color crema de un cuaderno de dibujo de bolsillo.

El papel Ingres, de varios colores
y de superficie ligeramente
texturizada, es ideal para pastel
y carboncillo.

El papel de acuarela es grueso y
absorbente y de superficie rugosa. Es
bueno para las aguadas.

El cartón Bristol es duro pero con un
acabado liso que lo convierte en una
buena superficie para dibujar con
pluma.

El papel satinado es semiopaco y
ligero, recomendable para pluma
y lápiz.

Una pluma estilográfica en
papel satinado es ideal para
dibujar los detalles de este
mímulo.

El cartón y papel para pastel vienen en muchas
texturas y colores. Su textura rugosa o "dentada"
resiste muchas capas de pigmento pastel.

El **papel para copiadora** y el **papel satinado** son
muy lisos e ideales para trabajar con pluma y
tinta.

El **cartón Bristol** es excelente para aguadas de
tinta.

El **papel de periódico** y el **papel de empapelar**
son económicos y no deberían despreciarse.

El **papel calca** (albanene) es muy útil para la
planeación de una composición y calcar un diseño.

La técnica adecuada

Con diferentes combinaciones de técnicas y superficies se crean efectos muy diversos. Aunque estos seis dibujos son los mismos, cada uno tiene su propia atmósfera y ambiente según la técnica y el fondo.

El primer dibujo se hizo con una pluma estilográfica 0.1 en papel satinado. Los estilógrafos se deslizan con facilidad en la superficie blanca, lo que te permite plasmar una planta con detalles botánicos.

El segundo dibujo se realizó con un rotulador indeleble y aguada con tinta india en cartón Bristol. La línea fluida de pincel húmedo da profundidad y textura a las flores y a las hojas, y las líneas finas se trazaron con la punta.

El tercer dibujo se abocetó con lápices 9B y 3B en cartón Bristol. La variación en la presión del lápiz plomo produce tonos claros y oscuros. Una goma de migajón suave resaltó los toques de luz.

El pastel en papel Ingres da luz y atmósfera al cuarto dibujo. El pigmento claro se difumina para crear forma y volumen. Los bordes duros se cepillan para dar la ilusión de profundidad.

El quinto dibujo se hizo con conté y gis blanco para los toques de luz sobre papel de dibujo rugoso color crema. Con el costado de la barra conté se añade textura a las hojas y con la punta se detallan los centros de las flores.

El sexto diseño se dibujó con una punta o puntilla en papel para borrador, que es muy bueno para diseños en blanco y negro. Los errores se cubren con tinta negra. No recargues la mano en este papel, pues se marca con la transpiración.

1 Pluma estilográfica en papel satinado

2 Rotulador y tinta india en cartón Bristol

3 Lápiz en papel de dibujo

4 Pastel en papel Ingres

5 Barra conté y gis blanco en papel de dibujo

6 Punta en papel para borrador

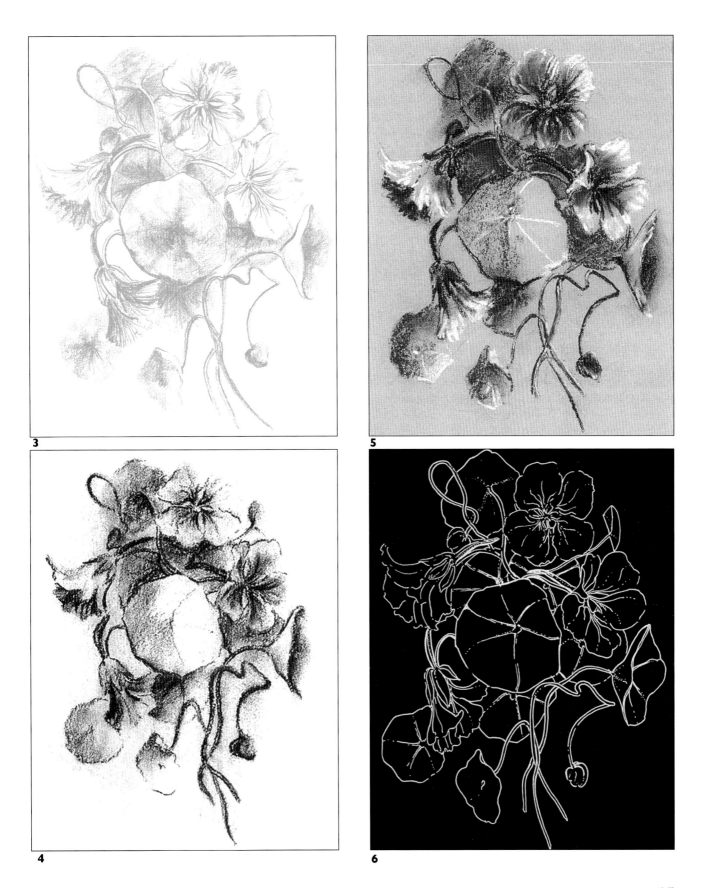

3

4

5

6

Elección del sujeto

Al principio, resultará un poco difícil decidir cuál será tu sujeto porque existen muchas flores de donde escoger. Sugiero que empieces con cosas simples. No salgas corriendo a una florería costosa ni tomes por asalto el campo, sólo observa con atención tu jardín o la ventana para que te inspires. Te sorprenderá la belleza sencilla de la maleza del jardín y te impresionará la complejidad de la forma de las muchas hojas.

Algunas flores tienen una apariencia emocional fuerte, así que déjate impresionar por un atrevido girasol o seducir por alguna violeta pequeña. Sentir algo por tu sujeto dará como resultado un dibujo fiel sin importar que tus primeros esfuerzos no luzcan profesionales.

Una observación atenta al detalle con una pluma estilográfica, hará que te familiarices con las formas de una flor en particular, en este caso se trata de una fucsia (arriba).

Vale la pena dibujar este humilde ranúnculo al igual que una flor compleja. Aquí puedes ver las tres etapas que se siguen para lograr el dibujo final (abajo).

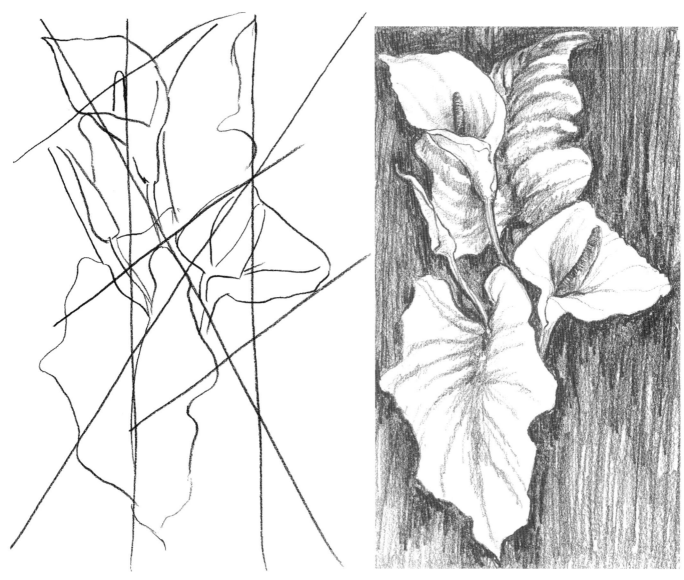

Ambiente y atmósfera

Algunas flores evocan la sensación de tiempo
y espacio. Por ejemplo, piensa en unos geranios
en la soleada terraza o en jacintos silvestres en
un bosque sombreado. En ocasiones, flores como
la orquídea pueden ser un poco siniestras,
mientras que a las azucenas siempre las envuelve
la sensación de misterio.

Formas y texturas

Conoce la textura de las flores y las plantas;
algunas son carnosas y otras delgadas como
el papel. Observa el patrón de crecimiento de
una planta, ¿se desliza con tenacidad hacia arriba
como la hiedra, flota con elegancia como la fucsia,
o cae pesadamente como la flor de la pluma?

1 Algunas flores, como el alcatraz, presentan obvias líneas verticales y diagonales. Trabaja con ellas primero (arriba, izquierda).

2 Una vez establecidas las líneas estructurales, al alcatraz puede colocársele un fondo oscuro para crear la sensación de misterio (arriba).

Consejo del artista

Dibuja muy claras las líneas direccionales para que no te cueste trabajo borrarlas en el dibujo final.

Dónde buscar flores

Por lo general, cuando la gente empieza a dibujar, se siente más segura trabajando naturaleza muerta, con flores arregladas y escogidas a su gusto personal. No obstante, no olvides que hay muchos lugares donde puedes encontrar flores. La elección más obvia sería el parque que está cerca de tu casa. Allí decidirás si plasmas las flores en "primer plano" (close-up) o haces un boceto de un paisaje lleno de hierba. Pero prepárate, pues no falta que se te acerque el típico curioso.

En muchos parques o jardines municipales hay invernaderos botánicos, que son una fuente rica de inspiración si lo que deseas es dibujar plantas exóticas como la orquídea u otras especies raras. Analiza tu hortaliza y la de tus vecinos (pero primero pide permiso). Las flores vegetales, como las de las calabazas zucchini, pueden resultar inesperadamente bellas. En los días fríos y húmedos del invierno, visita el jardín de invierno para sacar nuevas ideas, y te sorprenderá lo que florece en el invernadero de tu vecino.

Dibujar en vacaciones

Si tomas vacaciones, la playa parecerían el lugar menos indicado para encontrar flores, pero ¿has pensado en la belleza del acebo marino o has observado cómo ondean las hojas de las algas marinas en las lagunas con rocas?

Los lápices de grafito suaves plasman los intricados giros y vueltas de la correhuela, que hace honor a su nombre (arriba).

Para simplificar un sujeto complicado, es una buena idea que hagas una serie de bocetos pequeños para que analices las varias posibilidades del diseño, como lo indican estos dibujos.

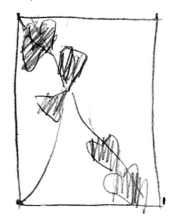

Sé selectivo, busca las líneas estructurales más dominantes y combínalas con las formas más sobresalientes para crear un arreglo más agradable.

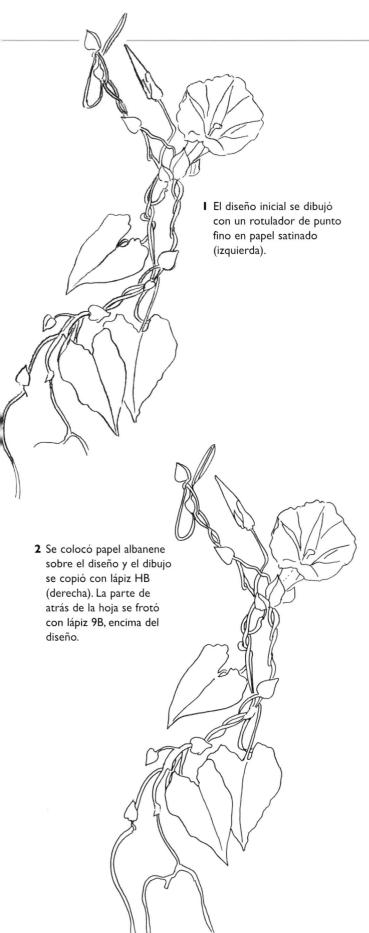

1 El diseño inicial se dibujó con un rotulador de punto fino en papel satinado (izquierda).

2 Se colocó papel albanene sobre el diseño y el dibujo se copió con lápiz HB (derecha). La parte de atrás de la hoja se frotó con lápiz 9B, encima del diseño.

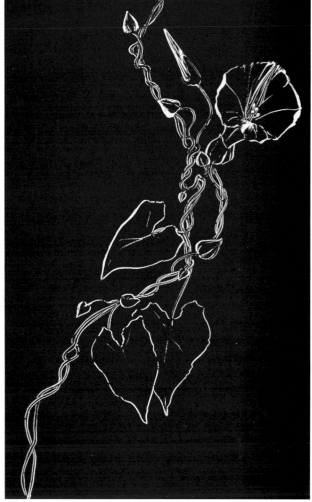

3 El papel calca (albanene) se puso encima del papel para borrador y se pegó con cinta adherente. El diseño se calcó con un lápiz H. Se retiró el papel calca y se usó una punta para marcar las líneas en lápiz (arriba).

Las terrazas de los hoteles y los restaurantes con frecuencia se decoran con enormes floreros y desbordantes canastas, y muchas ciudades rebosan de flores, plantas y arbustos en floración.

Las cascadas, los ríos y las lagunas son ricos en vida vegetal y son los mejores lugares para ir en busca de ideas. Es una delicia dibujar nenúfares y es una maravilla sentarse junto a un soleado lago e imaginar que por un instante eres Monet dibujando en su jardín de Giverny.

Estructura y forma

Para hacer buenos dibujos de plantas y flores, necesitas conocer un poco su estructura y su forma. No se te ocurra empezar dibujándolas con detalles botánicos, mejor concéntrate en sus contornos básicos. Para que tus flores dibujadas luzcan reales, deben verse lo más tridimensionales posible.

Formación y figura

La mayoría de las flores es simétrica, así que estudia la forma de los pétalos y cómo están centrados en la flor. Por ejemplo, compara la formación de los pétalos de una margarita con los de la boca de dragón, que son más complejos.

Aprende a ver a las flores como figuras simples; muchas cabezas de flor se dividen en figuras geométricas, como círculos y triángulos. Empezar con esas figuras te ayudará a comprender la estructura y la proporción de las plantas.

Técnica conveniente

Elige la técnica que mejor describa la forma. La nitidez de los estilógrafos evoca las delicadas venas de un pétalo, y el lápiz suave crea los rizos de los pétalos del clavel. Los lápices conté afilados describen las campanas de los gladiolos, y los trazos fuertes del carboncillo añaden volumen a la azucena.

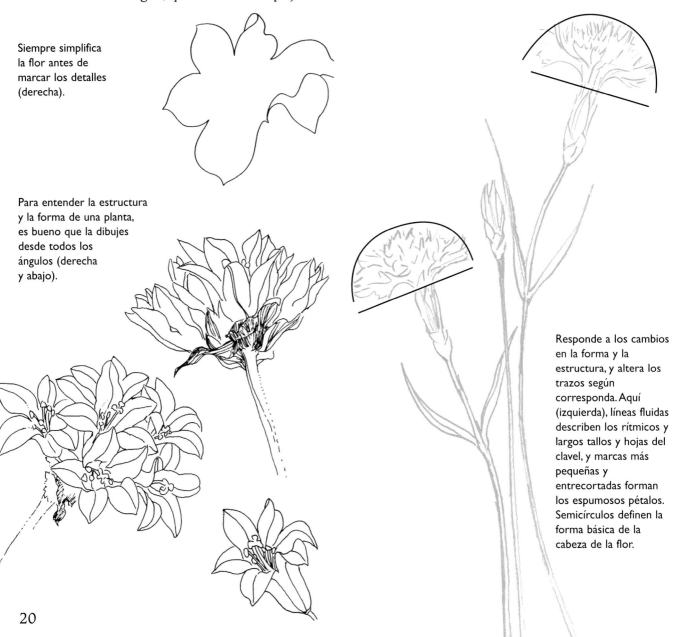

Siempre simplifica la flor antes de marcar los detalles (derecha).

Para entender la estructura y la forma de una planta, es bueno que la dibujes desde todos los ángulos (derecha y abajo).

Responde a los cambios en la forma y la estructura, y altera los trazos según corresponda. Aquí (izquierda), líneas fluidas describen los rítmicos y largos tallos y hojas del clavel, y marcas más pequeñas y entrecortadas forman los espumosos pétalos. Semicírculos definen la forma básica de la cabeza de la flor.

Los gladiolos se
simplifican dividiendo
su forma en rombos
contenidos en líneas
verticales (arriba).

La simplificación inicial de una
planta te evitará futuros dolores
de cabeza. Fíjate cómo la cabeza
de la azucena cae cuidadosamente
en un triángulo (arriba).

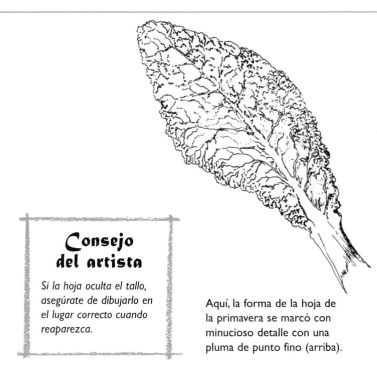

Las hojas

Las figuras de la estructura de las hojas con frecuencia son tan bellas y complejas como las mismas flores; de hecho, el carácter de una flor es definido por la estructura de su hoja. La capuchina sería muy diferente sin sus tallos convolutos y hojas en forma de sombrilla, y la intricadamente texturizada hoja de la primavera es el complemento perfecto para la delicada flor.

Antes de que empieces a dibujar las hojas, observa con atención cómo crecen en el tallo. Algunas hojas crecen opuestas entre sí; otras, de manera alternada, y unas más, como el narciso, de la base de la planta.

Consejo del artista

Si la hoja oculta el tallo, asegúrate de dibujarlo en el lugar correcto cuando reaparezca.

Aquí, la forma de la hoja de la primavera se marcó con minucioso detalle con una pluma de punto fino (arriba).

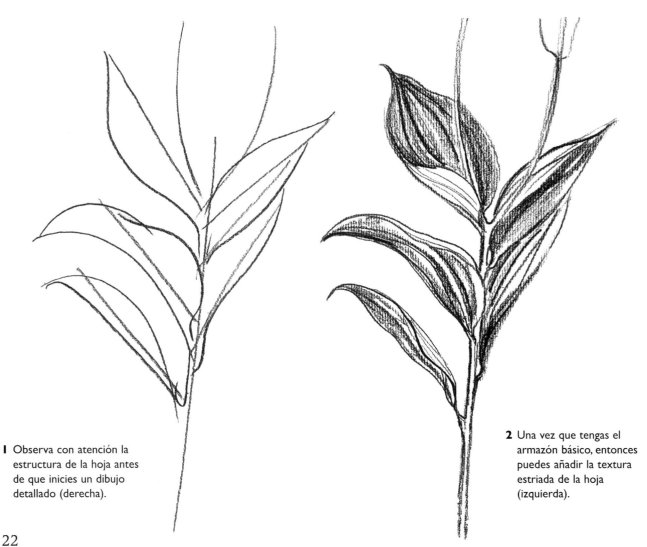

1 Observa con atención la estructura de la hoja antes de que inicies un dibujo detallado (derecha).

2 Una vez que tengas el armazón básico, entonces puedes añadir la textura estriada de la hoja (izquierda).

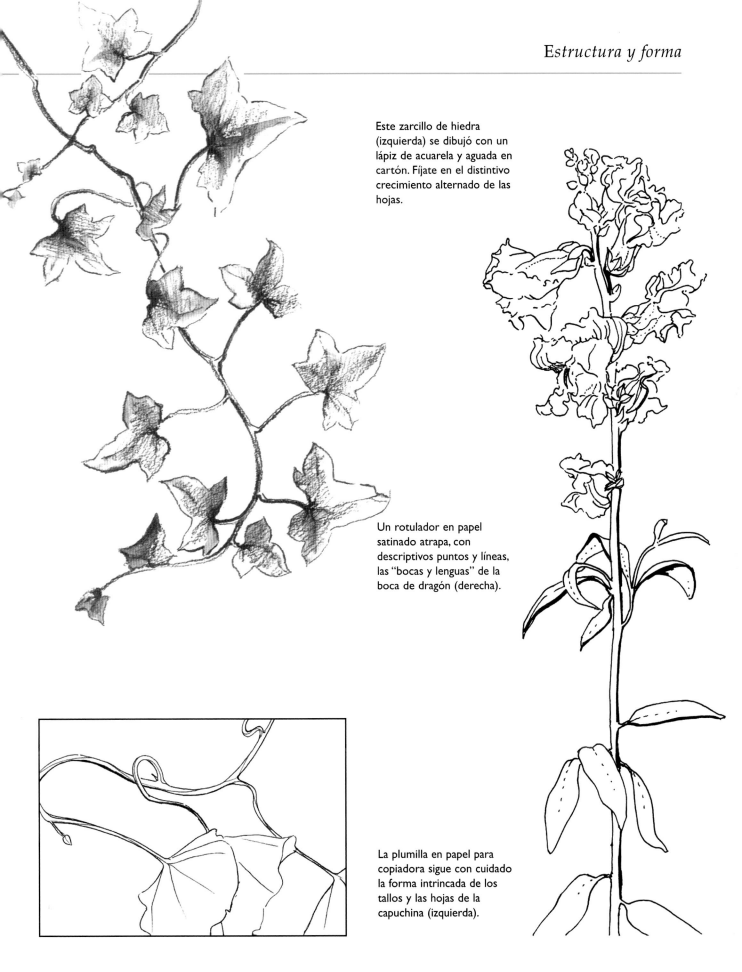

Este zarcillo de hiedra (izquierda) se dibujó con un lápiz de acuarela y aguada en cartón. Fíjate en el distintivo crecimiento alternado de las hojas.

Un rotulador en papel satinado atrapa, con descriptivos puntos y líneas, las "bocas y lenguas" de la boca de dragón (derecha).

La plumilla en papel para copiadora sigue con cuidado la forma intrincada de los tallos y las hojas de la capuchina (izquierda).

Proporción y perspectiva

A veces, al principiante le angustian las palabras "perspectiva", "proporción" y "escorzo". No obstante, si sigues algunas reglas básicas no tienes nada que temer.

La perspectiva es el "arte de la ilusión", hace que los objetos que de otra manera se verían planos y sin vida parezcan tridimensionales. La "proporción" se refiere al tamaño relativo de las diferentes partes de las plantas o las flores.

El escorzo es un tipo de perspectiva. La manera fácil de entenderlo es elegir la cabeza de una flor, como la de la margarita o el crisantemo, y sostenerla en contraste con un objeto recto –un lápiz está bien– y fijarte cómo, conforme la alejas de ti, disminuye su tamaño y cómo el círculo se convierte en óvalo.

El ángulo correcto

Para medir el ángulo correcto de una hoja, toma el lápiz a la altura del brazo en el ángulo adecuado de éste. Compara el ángulo de la hoja con el del lápiz. Después, dibuja en la hoja una línea tenue de dicho ángulo.

1 y 2 Una vez que tengas los ángulos correctos y las proporciones de las hojas, concéntrate en la forma y la textura. Dibujar una línea punteada para marcar la curva oculta de una hoja (izquierda) te ayudará a comprender mejor la figura de la hoja.

1

2

24

1 Estos tres dibujos
muestran los efectos
de la perspectiva. Esta
margarita (izquierda),
completa, cabe muy bien
dentro de un rectángulo.

2 Conforme la flor se aleja
de ti, las líneas paralelas de
ambos lados del cuadrado
se estrechan con la
distancia (arriba).

3 El centro de la margarita
desapareció por completo
y ahora sólo tenemos un
angosto perfil (arriba).

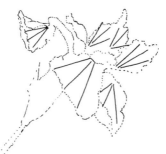

A veces, las venas y la textura de un
pétalo explican su perspectiva. Las
líneas en los pétalos del iris (arriba
y derecha) nos muestran cómo, bajo
el efecto de la perspectiva, las líneas
paralelas se encuentran en un punto
que se desvanece.

25

Cómo medir

Así como se miden los ángulos, también se mide el tamaño para asegurarte que todas las partes del dibujo tengan la escala correcta.

Para hacer una medida visual, toma un lápiz de manera vertical, estira el brazo, cierra un ojo y observa al sujeto. Haz el cálculo visual del tamaño del sujeto, esto es, tendrá la medida exacta que veas. Si el dibujo es grande, tu cálculo visual puede estar duplicado o triplicado.

Para entender cómo funciona esto, haz un ejercicio similar al de la técnica que usé en el dibujo de esta página. En "La prímula y el jarrón café", elegí las cabezas de flor más obvias y las utilicé como mi unidad de medida. El resto de los elementos del dibujo se midió con base en la flor.

Si mides metódicamente todo lo que dibujas, o cuando menos los sujetos más importantes, te darás cuenta de que todas las proporciones son exactas y tu dibujo se verá "bien".

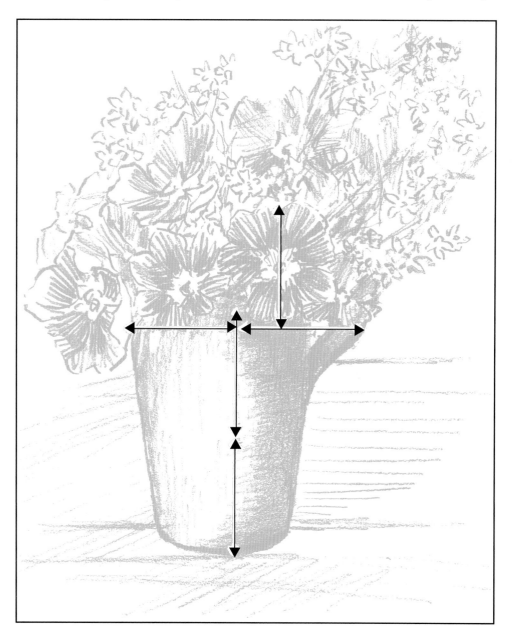

Pon atención a las flechas de este dibujo (izquierda). Dos cabezas de flor equivalen a la altura y al ancho del jarrón.

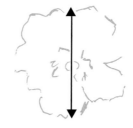

Usé esta cabeza de flor (arriba) como unidad de medida para las flores del jarrón de la izquierda. Para obtener su medida, alineé la punta del lápiz con la parte superior de la cabeza de flor y deslicé el dedo pulgar hacia abajo hasta la base de la flor para marcar dónde acababa.

Este dibujo de un jardín (página opuesta) muestra los efectos de la "perspectiva aérea". Ésta hace que los objetos se vean de tono más pálido y con menos detalle entre más lejos están del espectador.

Textura y estampado

Es imposible reproducir una flor o una planta de manera natural sin prestar atención a la textura y al estampado del sujeto; los detalles de la superficie son una parte intrínseca de los pétalos de la flor, de los tallos y de las hojas. Por ejemplo, imagina una hoja lisa de hiedra y el contraste con el espinoso cardo; o compara los pétalos muy estampados del mímulo acuático con la belleza simple del farolillo.

Elección de la técnica

Gran variedad de texturas pueden crearse con una pequeña selección de técnicas sencillas. Lápiz, carboncillo, pastel, aguada de tinta y plumas, todos producirán una serie de trazos descriptivos. No obstante, te tomará un poco de tiempo y requerirás de algo de experiencia para obtener el efecto exacto que deseas.

Es una buena idea que crees tu propio "vocabulario" de trazos en todos los tipos de papel que encuentres. Siempre utiliza papel o cartón que realce y añada interés a tu sujeto, y no olvides que las hojas de colores le dan una dimensión adicional a cualquier dibujo. Atrévete a ser audaz, combina varias técnicas y experimenta con diferentes texturas en el mismo dibujo.

Elige una técnica que realce a tu sujeto. Pluma y aguada de tinta son una buena elección para un sujeto delicado como estos farolillos (abajo).

Siempre aconsejo a los principiantes que dibujen flores secas como primer ejercicio para la textura. Esta cabeza de alcaucil seca se dibujó con lápiz 3B en papel de dibujo (derecha).

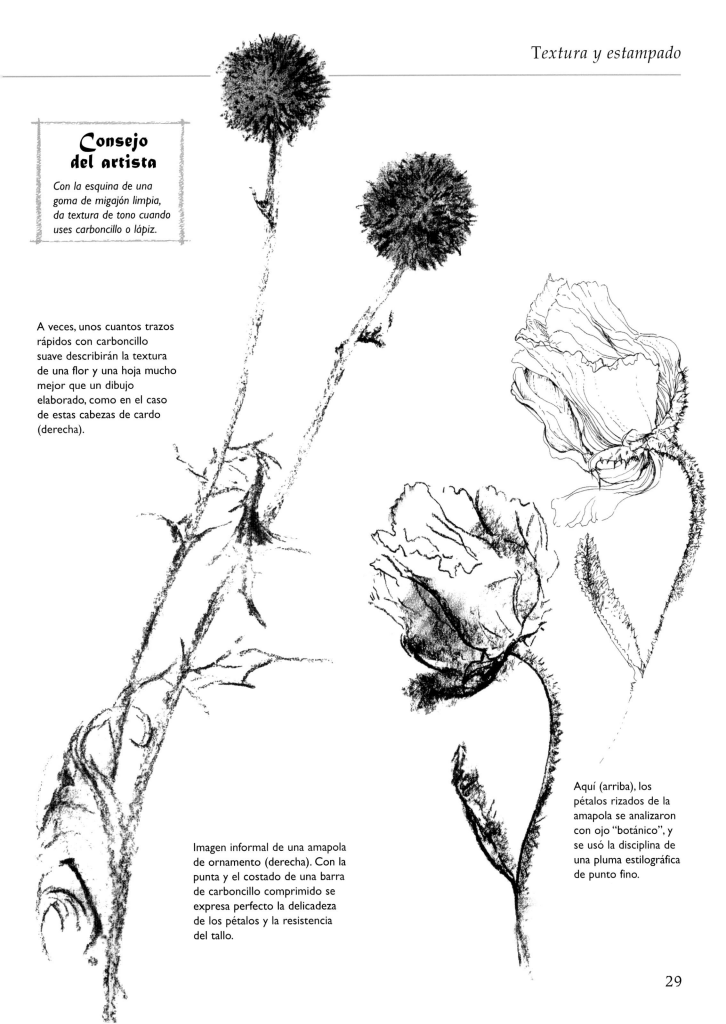

Consejo del artista

Con la esquina de una goma de migajón limpia, da textura de tono cuando uses carboncillo o lápiz.

A veces, unos cuantos trazos rápidos con carboncillo suave describirán la textura de una flor y una hoja mucho mejor que un dibujo elaborado, como en el caso de estas cabezas de cardo (derecha).

Imagen informal de una amapola de ornamento (derecha). Con la punta y el costado de una barra de carboncillo comprimido se expresa perfecto la delicadeza de los pétalos y la resistencia del tallo.

Aquí (arriba), los pétalos rizados de la amapola se analizaron con ojo "botánico", y se usó la disciplina de una pluma estilográfica de punto fino.

29

Respuesta a la textura y al estampado

Vuélvete sensible a la textura y al patrón de las plantas. Si eliges unas cuantas flores y comparas sus pétalos, quedarás fascinado con las diversas texturas. Los pétalos de ciertas flores, como los de la rosa, son como de fina seda y otros, como los del ranúnculo, son mates o brillosos.

También las hojas tienen diferentes formas y tamaños; algunas son muy lisas y otras ásperas al tacto. Las hojas del ruibarbo son carnosas y tienen nervios gruesos; las espinas del cardo ornamental son como esculturas modernas en miniatura, cuando se dibujan a detalle; mientras que las últimas hojas secas del invierno se sienten como encaje fino. Algunas hojas, como las del geranio y las de ciertas plantas de interior tienen tantos estampados, que la forma de la hoja resulta poco interesante y lo único que vemos es el diseño.

La reproducción detallada de una pequeña hoja puede hacerse con plumilla y tinta (izquierda). Quizá quieras utilizar una lupa para ver la superficie con detalle.

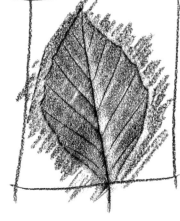

Papel blanco delgado y carboncillo o pastel, es lo único que necesitas para crear una hoja natural en la que se vean la textura y el estampado (derecha).

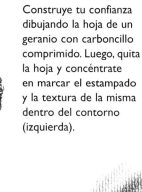

Construye tu confianza dibujando la hoja de un geranio con carboncillo comprimido. Luego, quita la hoja y concéntrate en marcar el estampado y la textura de la misma dentro del contorno (izquierda).

1 Primero se hizo un boceto claro de la forma de esta hoja de laurel (arriba), con lápiz conté negro. La curva se enfatizó para que la forma luciera más interesante.

2 Al añadir textura se transformó el contorno (arriba). Las venas y líneas diagonales realzan la figura, y el tono en la textura enfatiza la ondulación de la hoja.

La textura y el diseño añaden interés al dibujo más simple. Aquí (derecha), el pastel negro difuminado nos recuerda la superficie lisa de la hoja de la hiedra.

Se combinaron pastel
y carboncillo para añadir
textura al corazón de este
girasol, y el pastel da luz
a los pétalos. Las hojas se
dibujaron vagamente, pero
el áspero papel para pastel
les añade interés.

Consejo del artista

Usa el tacto para "sentir" la textura de la superficie. Cuando dibujes la espina de una rosa, por ejemplo, tócala con la yema del dedo y después expresa en el papel lo puntiaguda que es.

Las espinas puntiagudas y las hojas disparejas ofrecen un estampado contrastante a esta rosa. Observa cómo la base de cada espina termina en forma de curva hacia el tallo (arriba).

La tensión visual de la textura y del estampado de esta hoja de lirio de agua se capturó con pluma de punto fino y tinta (izquierda).

Forma y contraste

No te involucres tanto en los detalles de la superficie y te olvides de la estructura subyacente de la planta o la flor. Primero, dibuja la forma completa y encima añádele la textura o el estampado.

Lo mejor es que no agregues textura a todas las áreas del dibujo, sino sólo a las partes que desees resaltar. Por ejemplo, si contrastas el centro muy texturizado de una flor con hojas sueltas, la flor será la que llame la atención. Un área muy grande de textura de la misma densidad dará como resultado un espacio de tono plano y sin interés, así que siempre recuerda variar los trazos según la técnica que uses.

El patrón y la textura de una planta reflejarán luz y sombra, y es importante que el dibujo haga lo mismo, de lo contrario se verá plano y sin chiste. Marca las áreas claras u oscuras en el lugar donde la hoja o la flor tengan luz o sombra. Por ejemplo, si usas pastel trabaja en un espacio pequeño de contraste con la yema del dedo limpio. Cuando utilices pluma y tinta, deja ciertas áreas en blanco y otras trabájalas más.

Rotulador negro indeleble y aguada transmiten la delicadeza de esta planta de interior poco común (derecha).

Trazos largos en carboncillo atrapan la vitalidad de estas hojas de iris (izquierda). Al difuminar un poco el carboncillo en las hojas creamos una sensación de textura.

Luz y sombra

Cuando empieces a dibujar flores, el valor de los tonos debe ser simple. Las tonalidades oscuras producen efectos dramáticos, los tonos medios equilibran y armonizan, y los claros acentúan y resaltan.

Experimenta con tonos de escala "alta" y "baja". Un dibujo con "escala alta" está compuesto básicamente de valores de tonos claros, mientras que un dibujo oscuro con toques de luz es de "escala baja". Cuando observes flores u hojas, no lo hagas en términos de luz y sombra. Ver con los ojos entrecerrados te ayudará a identificar sus tonos.

Definición de la forma

En la naturaleza, las formas naturales están representadas por figuras geométricas simples, como el cilindro, el cono y la esfera. La luz y la sombra hacen que dichas figuras se vean sólidas y tridimensionales.

La luz resaltará las áreas sobresalientes de una flor y creará sombras en los huecos y en las partes más alejadas de la fuente de luz. Estas sombras caerán en el mismo ángulo, como la luz. Las hojas también reflejan la luz y vetean la parte inferior de la flor.

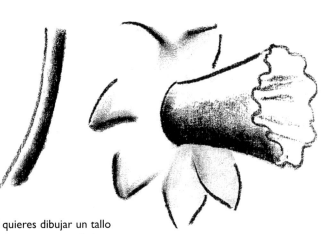

Si quieres dibujar un tallo que parezca natural, siempre verifica de dónde recibe la luz (arriba).

Para lograr que una complicada flor se vea tridimensional, reduce la luz y la sombra (arriba).

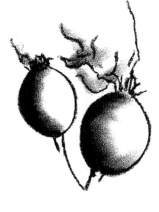

Los contrastes de reflejos de luz y sombra oscura hacen que estos escaramujos de rosa luzcan muy dramáticos (arriba).

Los pétalos curvos con toques de luz y sombras intensas dan inmediata profundidad a este alcatraz (arriba).

Con pluma y aguada de tinta se atrapó la luz y la sombra de esta margarita (izquierda).

Las líneas dan forma y la sombra sustancia a estas margaritas (arriba).

En este cuadro de tonos en "escala baja" sobre papel para pastel color gris, enfaticé la oscuridad de las hojas de las rosas y exageré los reflejos de luz en los pétalos (arriba).

Usa diferentes técnicas para explorar las diversas maneras de obtener valores de tonos. Los dibujos se hicieron con lápiz suave (derecha) y rotulador (extrema derecha).

Cambiar la luz

Todas las fuentes de luz tienen diferentes intensidades y éstas alteran de manera radical la apariencia del sujeto. Una naturaleza muerta colocada en una esquina con sombra se verá diferente si la ilumina el sol, por ejemplo. Si estás dibujando en el exterior, recuerda que la luz natural cambia según la hora del día, creando sombras cortas en la mañana y largas en la tarde.

La cercanía de la fuente de luz también produce efectos, o quizá haya más de una fuente de luz.

En este boceto de margaritas (izquierda) las flores están iluminadas por el lado derecho. Por eso, los pétalos de ese lado se dibujaron con más nitidez y los de la izquierda, que están en la sombra, se distinguen menos.

Dibuja flores a contra luz. En estos írises (arriba) se muestran las emocionantes posibilidades de los tonos en la figura y la forma de la silueta. Haz un experimento: añade brillantes floraciones en primer plano a las siluetas.

Los valores de los tonos en su punto más dramático se dan cuando la luz brillante se encuentra con la oscura sombra. Aquí, el primer plano de sombras oscuras ancla las macetas a la superficie en la que descansan (izquierda).

Consejo del artista

Aplica toques de luz con gis blanco para resaltar una pequeña área de tono pastel, acentuando así las partes sobresalientes de la flor.

A las delicadas flores de primavera (derecha) les sienta bien dibujarlas en escala baja con un fondo de tono medio. Fuertes trazos de pastel negro marcan hojas sólidas, y el pigmento pastel ligeramente difuminado describe la frágil forma de los pétalos. El gis blanco resalta y da luz a las campanas y a las puntas de los pétalos.

37

Los detalles

Un ejercicio muy útil para la observación es concentrarse en dibujar una flor o un conjunto particular de hojas. Si haces un análisis detenido de la flor, el capullo, la hoja o el tallo de una planta, entenderás cuáles son sus características especiales.

Hojas y tallos

Vistas muy de cerca, las plantas cuentan con gran variedad de texturas, formas y diseños. Los tallos nos sorprenden con sus delicadas venas, protuberancias y espinas. También las hojas tienen muchos diseños detallados. Cuando dibujes hojas con todo detalle, presta especial atención a la manera en que la hoja crece del tallo –algunas crecen en pares y otras alternadas.

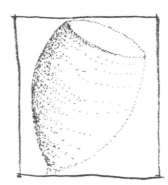

Es bueno que practiques la técnica de los puntos en figuras sencillas antes de aplicarla en la flor.

A veces, es muy útil usar una lupa para observar un estambre y entonces dibujar cada detalle de la textura.

Un estilógrafo de punto fino es el instrumento ideal para dibujar un carnoso jacinto (izquierda). Muchos puntos finos marcan las estrías, los bordes y la textura de los curvos pétalos externos.

Los detalles te ayudan con la estructura; la textura en este pétalo de azucena ayuda a describir su forma.

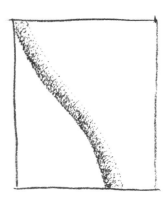

En este tallo, pequeños puntos y líneas curvas crearon un cilindro casi tangible.

La combinación de plumilla con tinta india en papel satinado liso es ideal para dibujar los detalles de los pétalos (izquierda).

Consejo del artista

Una cantidad homogénea de detalles en todo el sujeto pierde impacto, así que siempre elige el área de detalle en la que vayas a concentrarte y designa un área de contraste.

Detalles de las flores

Muchas flores tienen formas complejas, así que
analiza su construcción como si estuvieran bajo
una lupa. Cuenta los pétalos, los pistilos y los
estambres, y observa dónde y cómo se unen
los pétalos con el tallo.

Un ejercicio de observación muy bueno es dibujar
una flor desde todas perspectivas y ángulos
inesperados. Para obtener resultados interesantes,
haz la misma flor con diferentes técnicas.

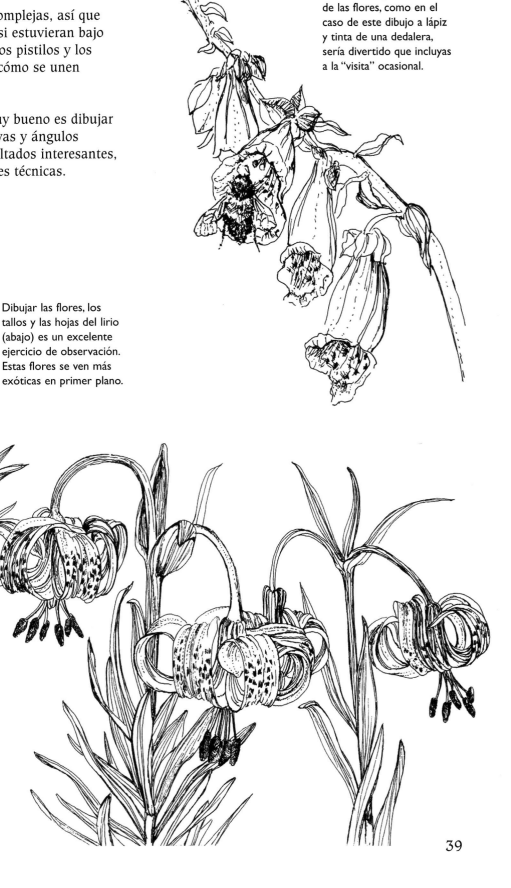

Cuando dibujes los detalles
de las flores, como en el
caso de este dibujo a lápiz
y tinta de una dedalera,
sería divertido que incluyas
a la "visita" ocasional.

Dibujar las flores, los
tallos y las hojas del lirio
(abajo) es un excelente
ejercicio de observación.
Estas flores se ven más
exóticas en primer plano.

Elige la técnica adecuada

Antes de empezar un dibujo detallado, asegúrate de haber elegido la técnica más conveniente para tu sujeto y estilo de dibujo. Recuerda que una técnica suave como el gis no es recomendable para un sujeto que se describe mejor con una pluma estilográfica, y se requiere de mucha paciencia para cubrir una hoja cuadrada de papel, de 60 cm (2 ft) con puntito en tinta.

Sugiero que empieces con algo pequeño; toma una hoja de papel de dibujo A4 y una selección de lápices de grafito, del H al 4B. Un rotulador de punto fino en papel liso también es una buena opción si quieres añadir un poco de tinta o recubrir el dibujo con aguada de acuarela.

Antes de añadir cualquier detalle, dibuja tenues líneas estructurales para indicar la forma de tu sujeto (arriba).

Si se observan con atención, los botones de estas rosas parecen pequeños bultos (derecha).

Estos dos dibujos de la misma rosa (arriba), están hechos con lápiz HB y 3B; la puedes plasmar en floración durante el verano y con escaramujos en el otoño.

Observa los cambios durante el crecimiento

Si te gustan los trabajos detallados, un buen ejercicio es hacer una serie de minuciosas observaciones al ciclo de vida de una planta o arbusto, para registrar los cambios en su crecimiento durante un año.

De junio a octubre, estudié las rosas silvestres que ves en esta página, grabé en mi cuaderno de dibujo el primer botón, cómo se abrieron los pétalos y los escaramujos finales.

Dibuja una sola flor
capturando hasta
el minucioso detalle,
así como bocetos más
generales (arriba).

Rotulador de punto fino en
color negro y un poco de
aguada con tinta capturaron
la interesante estructura de
la hoja de la madreselva
(arriba).

Consejo del artista

*No olvides dejar áreas de
luz y sombra en los dibujos
detallados. Con una goma
suave de migajón se borra
el lápiz de grafito. En el
caso de la pluma y la
aguada con tinta, el papel
blanco te servirá para
marcar la zona más clara.*

Con lápiz conté con buena
punta se trazó cada curva de
los pétalos de esta rosa
(arriba). Fíjate que las hojas
sólo se marcaron con trazos
diagonales en lápiz.

41

Bocetos

Cargar siempre con el cuaderno de dibujo te alentará a mantenerte alerta en caso de que encuentres plantas y flores interesantes, y a que registres el crecimiento de flores y plantas durante las estaciones. Los bocetos que se hacen en las vacaciones soleadas de inmediato evocarán la atmósfera del verano en lo más profundo del invierno.

Si puedes, dibuja todos los días durante unos instantes; tus habilidades de observador mejorarán y en poco tiempo contarás con una muy útil "biblioteca" de información visual. Cuando dibujes flores, es muy bueno que lo hagas en su hábitat natural, y que anotes la fecha y el lugar de realización.

Experimentos

Usa el cuaderno de dibujo para experimentar con diferentes técnicas y estilos. Por ejemplo, si te gusta marcar los detalles con el estilógrafo, trabaja de manera menos tensa y más espontánea en el cuaderno.

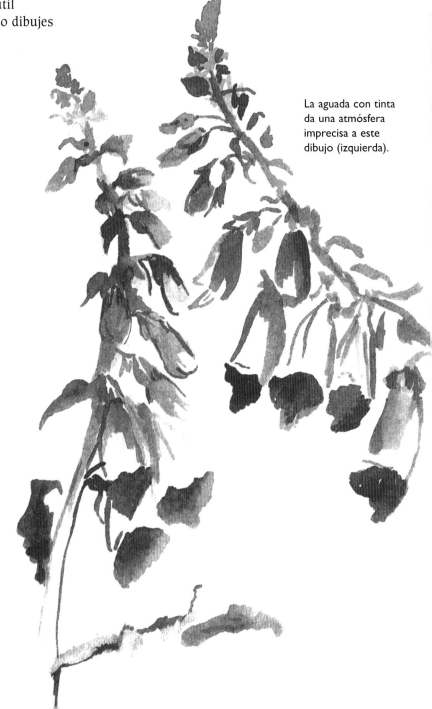

La aguada con tinta da una atmósfera imprecisa a este dibujo (izquierda).

Los dibujos de estos pensamientos (arriba) se hicieron con las siguientes técnicas:
1 Aguada con tinta
2 Aguada con acuarela
3 Estilógrafo
4 Plumilla
5 Lápiz HB
6 Barra de grafito

Elección de la técnica

La técnica que uses influirá en la manera de dibujar al sujeto. Sugiero que para empezar uses lápices de carboncillo o de acuarela, verás que en el exterior es más fácil controlarlos que los pasteles o el carboncillo (pero sí utiliza estas técnicas después, cuando te sientas con más confianza).

Los dibujos

Recuerda que tus bocetos no son necesariamente obras de arte individuales; hazlos para tu satisfacción y consulta personales. Piensa que son dibujos y relájate. Un buen boceto es el que "atrapa el momento", y no importa mucho el resultado final.

Consejo del artista

Protege los dibujos de carboncillo y pastel rociándolos con fijador para cabello y una hoja de papel limpia; espera hasta que la aguada de tinta se seque para cerrar el cuaderno de dibujo, de lo contrario las hojas se pegarán.

El lápiz de carboncillo en papel para dibujo captura la informalidad de estas hierbas en florero.

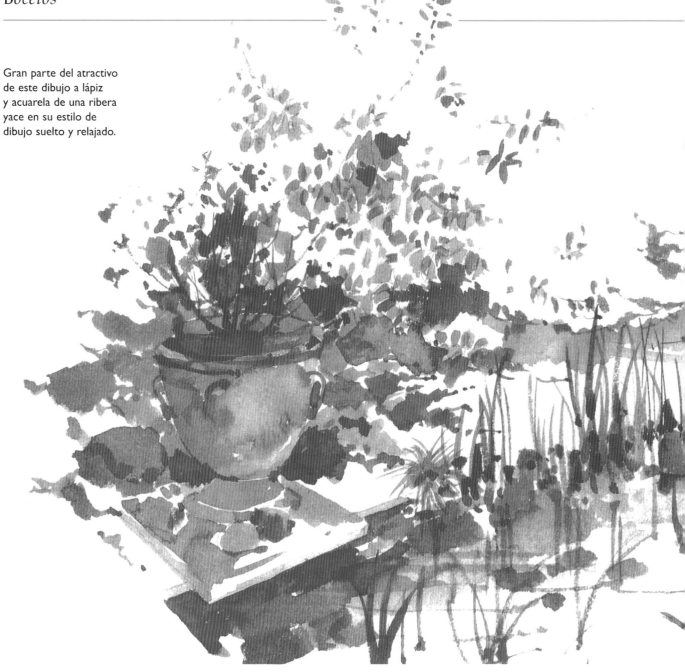

Gran parte del atractivo de este dibujo a lápiz y acuarela de una ribera yace en su estilo de dibujo suelto y relajado.

Equipo de dibujo

Cuando salgo a dibujar, me gusta llevar un pequeño pero variado equipo de dibujo. Tengo una caja con utensilios para pescar que cabe perfecto en una mochila. La caja alberga unos cuantos lápices de grafito suaves, lápices conté, lápices de acuarela, carboncillo comprimido y barras de grafito. Siempre cargo con una navaja y un sacapuntas, una goma de migajón y algunos pañuelos faciales. Para las aguadas con tinta y acuarela, tengo un tubo pequeño donde guardo mis dos pinceles, un frasco de tinta india y una jarra con tapón de rosca para el agua.

Mi cuaderno de dibujo preferido (15 x 22cm / 6 x 9in) es de pasta dura y páginas color crema de peso medio. Cuando hace mucho aire, uso una gruesa banda elástica para detener las hojas. En la mochila también cargo una bolsa grande de plástico para basura, que uso de muchas maneras, desde protección para mi trabajo de las inclemencias del clima hasta tapete.

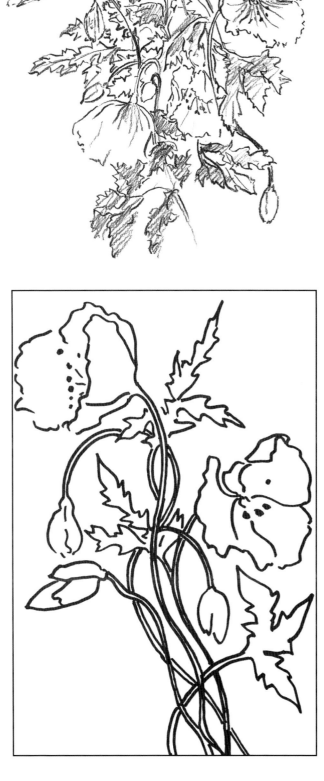

El lápiz de acuarela en papel para dibujo evoca la delicadeza de las flores de la amapola (derecha, arriba). La serigrafía (derecha) aún conserva la espontaneidad del dibujo.

Material de referencia

Si quieres extender tus conocimientos sobre flores y platas hacia otras áreas del arte y el diseño, recurrirás una y otra vez a tu cuaderno de dibujo para inspirarte.

A veces, eliges a propósito dibujar ciertas flores con la intención de usarlas, digamos, en un linóleo. Escogí el dibujo de la amapola para hacer una impresión simple en serigrafía.

Composición y marco

Para que un dibujo de flores quede bien, requiere de planeación. Aunque resulta tentador, no incluyas todo lo que ves.

Una buena composición es un equilibrio de varios elementos. Evita la simetría y no pongas a tu sujeto en el centro, así añadirás interés visual, y asegúrate de que el fondo no se coma a la imagen principal. Antes de realizar la elección final, es bueno que hagas una serie de pequeñas reseñas.

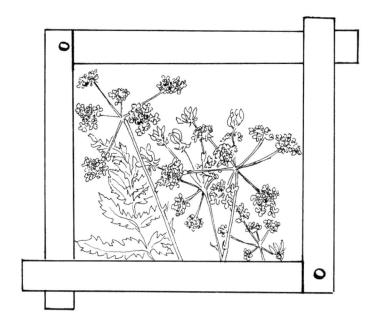

Un marco hecho con dos ángulos derechos de cartón te ayudará a enmarcar y seleccionar la composición final (derecha).

Composición tradicional en la que las flores y el jarrón no están centrados, y se observan desde cierta distancia (arriba).

En una composición menos común, sólo aparece la parte superior del jarrón (arriba, centro).

En una imagen de cerca, se enfatizan los ritmos lineales de los tallos, las hojas y las flores (arriba, derecha).

Se debe tener cuidado al momento de decidir dónde cortar la flor de la derecha (arriba).

Una versión en primer plano de la vista a la izquierda. El jarrón y las flores llenan el espacio (arriba).

A veces, es interesante concentrarse en una parte de la composición, en este caso se trata de la agarradera del jarrón (arriba).

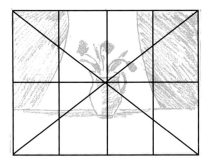

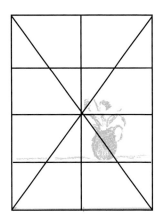

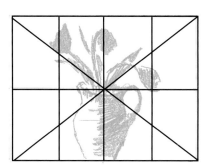

Hacer un visor con líneas verticales, horizontales y diagonales con el mismo espacio, te ayuda a organizar la composición (arriba). No obstante, evita la ubicación simétrica.

No permitas que el tamaño del papel reduzca la del dibujo (arriba).

Aquí (arriba), el sujeto está muy grande para la hoja, y se colocó muy al centro.

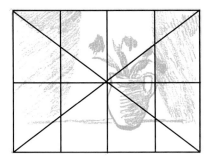

Una composición bien equilibrada es la base de un buen dibujo (izquierda).

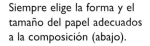

Siempre elige la forma y el tamaño del papel adecuados a la composición (abajo).

Para un sujeto vertical poco común se requiere una hoja de papel larga y angosta (derecha).

Edita lo que ves

De ser necesario, recuerda que puedes cambiar o eliminar sujetos naturales para lograr la composición deseada. Elige como centro la línea vertical u horizontal más fuerte o más dominante. En el dibujo de los cebollinos, elegí como centro al tallo más largo. Para compensar la vertical, enfaticé las hojas horizontales de la base de la planta.

Las líneas diagonales y verticales crean tensión pictórica, sin embargo busca también curvas marcadas y figuras redondas; se añadirán al ritmo y al movimiento del dibujo. Experimenta combinando líneas curvas y verticales para hacer contraste visual.

Enmarca la imagen

Como puedes ver en el dibujo de la página opuesta, un grupo de flores, matorrales y plantas actúan como buen visor. Aquí, las flores literalmente "enmarcan" la imagen y guían al ojo; en esta composición son tan importantes como la pequeña iglesia.

Fíjate cómo la iglesia no está en el centro, y en el agradable contraste de sus líneas verticales y horizontales con las formas circulares de las plantas.

En este boceto de caléndulas de pantano (arriba), metí a propósito las flores y las hojas en grandes círculos para exagerar su forma redonda y contrastarla con los angostos y verticales juncos.

Consejo del artista

Si necesitas simplificar un grupo complejo de tallos, usa el visor para concentrarte en la sección que desees.

Al marcar líneas diagonales para encerrar hojas y flores, obtuve una figura interesante (izquierda).

El crecimiento del frente nos ofrece un marco natural para la iglesia (página opuesta).

Figuras contiguas

Cuando hagas la composición de tu dibujo, fíjate no sólo en la forma de las flores, sino también en las figuras que crean, como las sombras y los espacios "negros" entre ellas, como en el caso de los espacios y las sombras alrededor de la canasta de geranios de la izquierda.

Deja que tu sujeto reproduzca la figura del área que lo rodea. En el dibujo de los escaramujos en el mantel a cuadros, el formato cuadrado de las rosas y del arreglo refleja los cuadros en el mantel.

I Unas cuantas líneas suaves a lápiz definen la estructura cuadrangular de esta composición (izquierda).

La canasta colgante, las sombras y el espacio "vacío" conforman esta composición (página opuesta).

2 Las flores se marcan con pluma y tinta, y las líneas a lápiz se borran (abajo, izquierda).

3 Con puntos y líneas cortas en pluma y tinta se describen las flores, las hojas y el mantel (abajo).

Charmian

Ambientación

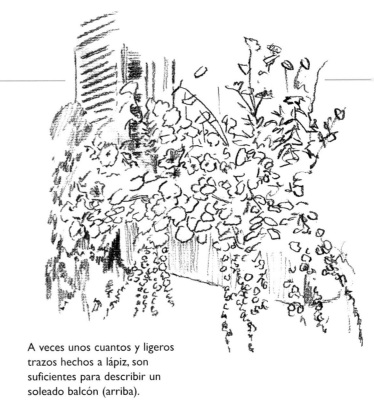

Una solitaria flor pintada sobre una hoja en blanco lucirá muy diferente si se plasma en su hábitat natural, incluso la colocación de una planta como fondo da otra dimensión al dibujo. Por ejemplo, geranios llenos de color desbordándose de una maceta en la ventana producen una atmósfera muy diferente a la de un geranio usado como naturaleza muerta en un interior.

A veces, añadir un solo detalle, como el postigo en el dibujo de la derecha, ayudará a que tu dibujo cuente una historia.

Artistas residentes

Para atreverse a dibujar en un restaurante lleno de gente se necesita valor, pero el dibujo de abajo te demuestra que los resultados merecen el esfuerzo.

A veces unos cuantos y ligeros trazos hechos a lápiz, son suficientes para describir un soleado balcón (arriba).

Sentado en el jardín exterior de un restaurante italiano, el artista capturó la abundancia de flores bellamente plantadas en cada una de las esquinas. La mezcolanza de flores y plantas se dibujó en una línea rápida que refleja el ajetreo del restaurante.

A la mayoría de los restaurantes les complace que los artistas dibujen afuera, ¡somos parte de la ambientación!

Plumilla, tinta india y lápiz 9B evocan la sensación de una trattoria italiano (izquierda). Fíjate que el artista no dibujó las hojas de manera individual, sólo unas cuantas líneas que las evocan.

Armonía

Cuando dibujes con ambientación, elige una escena en la que el entorno complemente al sujeto. En total contraste con el dibujo de la página opuesta, el de ésta es tranquilo y apacible, lo que añade misterio a las flores y plantas. Las azucenas blancas y las hojas actúan como marco, atrayéndonos hacia las profundidades secretas del jardín e invitándonos a relajarnos en la banca cobijada por la sombra. De manera deliberada, la composición es circular para enfatizar la caída de la vegetación y de las flores.

Para añadir profundidad y tono al dibujo, el artista trabajó con pluma y tinta, marcando y remarcando sombras con trazos finos.

Consejo del artista

Cuando dibujes en exteriores, siempre ve preparado para los cambios de clima; recuerda llevar un buen par de lentes para sol, un paraguas pequeño para hacerte sombra o cubrirte de la lluvia, y algo en qué sentarte.

El huerto

Es fascinante dibujar las flores de los vegetales, como las de las calabazas zucchini y las espinosas flores azules de la alcachofa. Las calabazas largas y las zucchini trepan por la cerca, se enredan con las frondosas habas y conforman el fondo perfecto para un dibujo de cebollinos o alcachofas.

Las verduras pueden resultar sujetos exóticos sorprendentes (arriba).

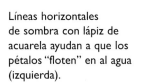

La aguada con tinta captura la delicadeza satinada del lirio de agua (arriba).

Líneas horizontales de sombra con lápiz de acuarela ayudan a que los pétalos "floten" en al agua (izquierda).

Plantas acuáticas

Dibujar flores y plantas acuáticas siempre constituye un reto, pero si "te la juegas" te alentarán los resultados. Las flores que crecen en o cerca del agua, constantemente reflejan y se reflejan en la superficie del agua. No dejes que esto te confunda; entrecierra los ojos para reducir los reflejos y recuerda que el área que está debajo de la hoja o de la flor será el punto de tono más oscuro.

Cuando dibujas la flor, no siempre ves el reflejo completo. Observa con atención y mira cuán lejos está la planta de la superficie del agua, entre más alejada más completo será el reflejo.

Si estás tentado a dibujar plantas o hierbas en agua que se mueve, no olvides que debes reducir las ondas cambiantes que las rodean y están bajo ellas, dibujándolas con los valores de tonos que les corresponden antes de empezar con las plantas.

En este vivo dibujo al pastel, el artista usó líneas fluidas para la cascada en continuo movimiento, en fuerte contraste con las verticales más estáticas en los bancos.

Naturaleza muerta

Si te gusta dibujar flores como sujetos de naturaleza muerta, vas a necesitar una gran variedad de floreros interesantes.

Elección del florero
No gastes fortunas en tiendas de antigüedades. En casa, los objetos del diario resultan los mejores floreros, y casi siempre los más sencillos son los más bonitos.

Aduéñate de todas las jarras y vasijas que encuentres. Explora la cocina, y te sorprenderá la cantidad de ollas, recipientes y tazas en las que puedes meter ramos de flores o una planta llena

Siempre resulta útil tener a la mano una gran variedad de floreros (izquierda). Los objetos más acogedores de la casa lucirán muy diferentes llenos de flores, cada florero marca su propio carácter en el dibujo.

Elige un florero que combine con tu arreglo. Uno de cuello delgado es perfecto para una sola flor (arriba), uno alto complementa un ramo de flores de tallos largos (arriba, al centro), mientras que uno redondo hace juego con la forma redonda de un ramillete (arriba, derecha).

Una copa es el recipiente perfecto para flores delicadas como las margaritas.

Aquí, la copa realza la belleza sencilla de las flores de la zarzamora.

En este dibujo, la misma copa embellece un ramo de "violetas enanas".

de flores. La humilde copa luce preciosa llena de flores de primavera, por ejemplo, y la canasta con flores se ve romántica y veraniega.

De manera alternativa, para crear tensión visual en un dibujo, elige floreros que contrasten por completo con las flores, combinando, digamos, lo pequeño y regordete con lo alto y elegante.

Arreglo de flores y plantas

Experimenta con diferentes efectos visuales, una sola flor en una licorera o botella puede resultar más encantadora que una docena de flores en un florero.

A veces, lo mejor es dejar caer caprichosamente las flores en un recipiente, pero si quieres arreglar un ramo de manera más elaborada, no olvides la máxima del florista profesional: los números nones (tres, cinco, siete, etc.) producen figuras más interesantes que los pares.

Consejo del artista

Comienza a coleccionar flores artificiales y secas para aquellas épocas del año en las que las flores son caras o no se encuentran con facilidad.

Elige el florero que mejor combine con tu sujeto. Aquí, el artista dio un espíritu japonés a este ramo de hojas de almendra con una elección inteligente del florero.

Ambientación y fondo

La ambientación y el fondo afectan la atmósfera de la naturaleza muerta, así que elígelos antes de empezar. ¿Dónde ubicarás a tu sujeto, en el alféizar de una ventana soleada? ¿Cuál será el fondo, un mantel de encaje o un trapo de cocina?

Cambio de luz

Dibuja la misma naturaleza muerta con diferente luz. Por ejemplo, hazlo en el alféizar de una ventana en contraluz, es decir *contre-jour;* luego, cierra las cortinas, vuelve a dibujar al sujeto y compara ambos bocetos. Alternar la iluminación hará que la misma naturaleza muerta se vea muy diferente.

En contra de la luz, las flores se convierten en siluetas planas (arriba, izquierda).

Las mismas flores contra una cortina oscura parecen tridimensionales (izquierda).

El fondo oscuro acentúa la blancura de estas flores (arriba). Llenando toda el área de dibujo, la vastedad de este arreglo nos recuerda a una naturaleza muerta tradicional holandesa.

Este florero alto y angosto
con su decorado floral
complementa y contrasta
con el arreglo redondo
de flores.

Luz y atmósfera

Cuando arregles tu naturaleza muerta, recuerda que la fuente de luz, más que nada, dará la atmósfera al dibujo. Si permites la entrada de una luz fuerte en una habitación oscura, los sujetos más comunes se transformarán.

En el primer boceto explicatorio, verás que la línea no crea ninguna atmósfera. Sin embargo, el segundo dibujo representa la naturaleza muerta con tono y es mucho más informativo.

En estos dos dibujos (abajo, y abajo derecha), fíjate el poco impacto que tiene la línea en comparación con el boceto con tono.

Una sencilla vasija de ranúnculos en una cocina se transforma al añadirle luz y sombra (derecha).

En este dibujo de tulipanes contra un fondo con diseño (derecha), el artista sabiamente colocó el florero de tal manera que oscureciera parte del dibujo y evitara que éste dominara la escena.

Sombras y diseños

Si usas las sombras con creatividad, no sólo ayudarán a solucionar algunos problemas con el fondo, sino que tu naturaleza muerta también enfatizará las fuertes líneas verticales, horizontales y diagonales básicas para una buena composición. Una sencilla lámpara es barata y fácil de conseguir y te inspirará a producir grandes efectos.

Muchos sujetos de naturaleza muerta se resaltan añadiéndoles diseños. Un papel tapiz con dibujos favorece a las naturalezas muertas más apagadas, y un mantel con estampado añade interés a un arreglo sencillo. Experimenta colocando a tu sujeto una variedad de fondos diferentes. Selecciona telas que contrasten, con rayas, con puntos, etc., y observa el efecto que producen en tu naturaleza muerta. Los diseños horizontales avivan las figuras verticales y los dibujos circulares acentúan las rayas verticales.

La versión final de los dibujos de la página opuesta muestra cómo el valor de los tonos añade luz y atmósfera a este dibujo (izquierda).

Dibujos a partir de fotografías

A veces, resulta útil usar una cámara para retratar lo que ves. Sin embargo, no confíes ciegamente en que las cámaras te ayuden a dibujar, pues cuentan con muchas limitaciones. Por ejemplo, distorsionan la perspectiva haciendo que los pétalos más cercanos de una flor se vean muy grandes y los que están atrás muy pequeños. Exagera la luz y la sombra, creando valores de tono equivocados. Trabajar a partir de fotografías, y no dibujar el objeto directamente, es una experiencia de "segunda mano" y el resultado final a veces es plano.

Cuándo usar una cámara
El uso más eficaz de la cámara es en conjunto con el cuaderno de dibujo. En aquellas raras ocasiones que no tengas tiempo para dibujar tu sujeto, sé creativo con las fotografías.

A veces, la cámara es útil para capturar un momento poco común o fugaz, como en estas fotografías de la Reina de la noche, una suculenta flor que sólo nace una vez al año y en la noche.

A partir del original, dibujé la estructura principal y la forma de las hojas de esta planta con pluma y aguada de tinta (arriba). Las fotografías (abajo y abajo izquierda) me dieron la referencia que necesitaba para completar los detalles.

Las fotografías son invaluables para recordarte detalles que pasaste por alto cuando hiciste el boceto del objeto en vivo. La referencia fotográfica resultó útil para completar el tallo de la Reina de la noche (izquierda).

Consejo del artista

Si la fotografía es muy pequeña, una buena fotocopia láser a color en tamaño A4 te será de mucha utilidad. Las fotocopias en blanco y negro de una copia a color te sirven para aclarar los valores de los tonos.

Experimenta dibujando a partir de fotografías con todas las técnicas que puedas. Cada técnica dará un carácter y una atmósfera diferente al sujeto. Este dibujo (derecha) se hizo con lápiz suave.